ART 6

인물 캐릭터 디자인

PEOPLE CHARACTER DESIGN

편집부 편

 도서 상투스
SANCTUS 출판

머 리 말

오늘날 캐릭터는 그 활용범위가 아주 다양하다. 주로 동물과 인물이 주종을 이루고 있는 캐릭터는 인물이나 동물의 독특한 모습에 이미지나 개성을 부여하여 여러 상품에 도입하고 있다.

이 책은 여러 해에 걸쳐 수많은 일러스트레이터에 의해 제작된 인물 캐릭터를 선별, 집대성하여 비록 제한된 지면이지만 되도록 많은 양의 디자인을 수록한 캐릭터 자료집이다.

캐릭터 디자인은 사실화의 데생이나 일반 스케치와는 달리, 표현하고자 하는 이미지가 확실하고, 보는 이로 하여금 기억에 오래도록 남아야 한다. 그래서 만화풍이나 사실화에 가까워서는 안 되며 캐릭터 특유의 성질을 내포해야만 이를 상품화할 수 있는 것이다. 그러한 캐릭터를 훌륭하게 그리기 위해서는 먼저, 우수한 많은 자료를 수집하고 이를 적극 활용해야 한다.

독자들이 이 책에서 눈에 익은 캐릭터가 가끔 보이겠지만 이 방대한 자료 가운데는 처음 대하는 자료가 더 많음을 곧 알게 될 것이다. 여러분은 이를 분석한 다음, 모사와 스케치를 거쳐 나름대로 자기 특유의 캐릭터 개발을 위해 노력해야 될 것이다.

편 집 부

Good night.
Sleep well.

Twinkle, twinkle, little star,
How I wonder what you are!

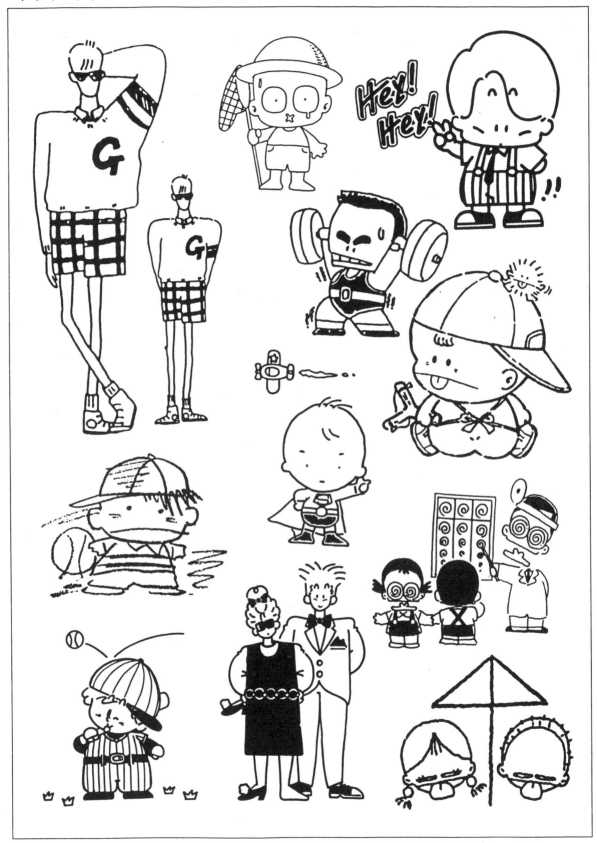

Hot Cake

Delicious!

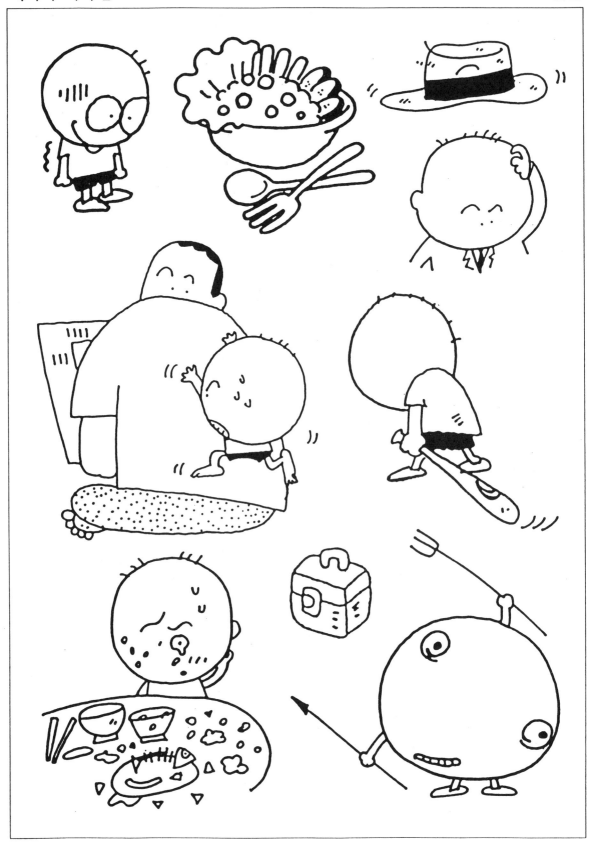

본사 간행 도서목록

No.	책 명	면 수	정 가				
ART TECHNIQUE 시리즈							
1	드로잉·드로잉·드로잉	174면	8,000원				
2	얼굴과 손의 드로잉	152면	7,500원				
3	인물화 드로잉	200면	10,000원				
4	폐 간						
5	여성 누드와 크로키	160면	7,000원	컬러물			
6	알기쉬운 인체 데생	192면	7,000원				
7	폐 간						
8	동물화 드로잉	176면	8,000원				
9	해부학에 준한 인체드로잉	200면	8,000원				
10	인물화 드로잉 테크닉	200면	12.000원				
11	얼굴의 올바른 드로잉	184면	12,000원				
ART 시리즈							
1	폐 간						
2	스포츠·캐릭터 디자인	160면	6,000원				
3	폐 간						
4	테마 미술 디자인	〃	6,000원				
5	동물 캐릭터 디자인	〃	〃				
6	인물 캐릭터 디자인	〃	〃				
7	꽃·식물 문양 디자인	〃	〃				
8	예쁜 캐릭터 디자인	〃	〃				
9	공예품 밑그림 디자인	〃	〃				
10	용·봉황 디자인	〃	〃				
11	컷 도안 디자인	〃	〃				
12	세계 캐릭터 디자인	〃	〃				
도자기 공예 시리즈							
1	도자기 공예기법	120면	10,000원	컬러물			
2							
3							
세계 장식문양 시리즈							
1	세계 장식문양 (유럽)	184면	10,000원				
2	세계 장식문양 (아시아)	〃	〃				
3	세계 장식문양 (공예품)	〃	〃				
4	세계 장식문양 (꽃)	160면	12,000원	컬러물